U0789415

四庫全書記事　史部

商務印書館

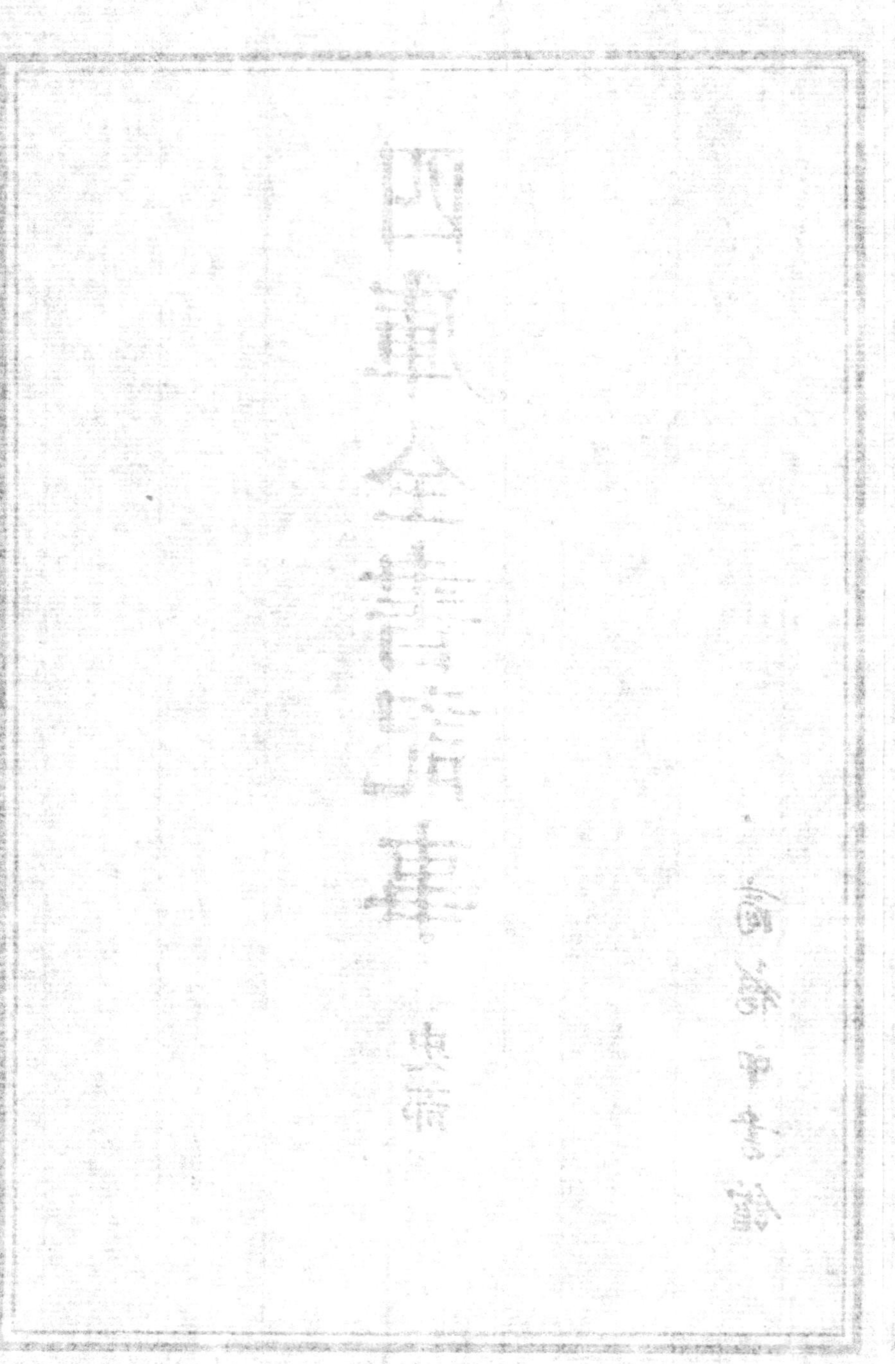
四庫全書珍本

欽定四庫全書

史記目錄

漢　太　史　令司馬遷　撰

世家三十
八書八
年表一十
本紀一十二

列傳七十　共一百三十卷

欽定四庫全書

史記
目錄

一

本紀

史記卷一

本紀第一

五帝

史記卷二

本紀第二

夏

史記卷三

欽定四庫全書

史部十

史記

本紀卷一

本紀卷二

五帝

本紀

共一百三十卷

四庫全書記事
史部
一
天壇正位蒼璧

四庫全書寫本

四庫全書記事

史部

二

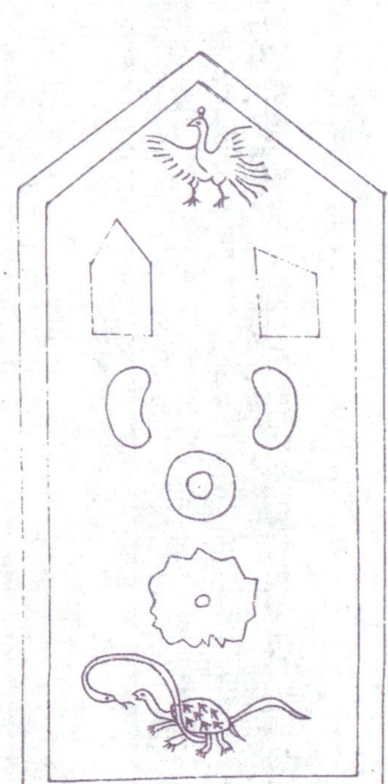

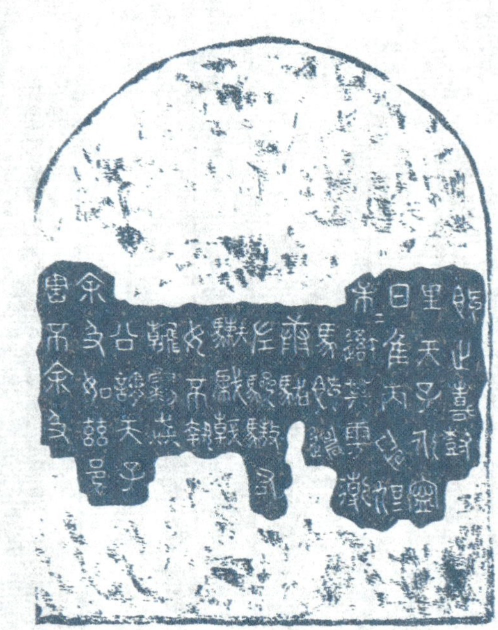

甬路上纜列虹氣直鐙

高六尺一寸

地壇從位俎

四庫全書寫庫

史部

輶車運柴

四庫全書

太歲壇正位簠

太歲壇正位簋

五

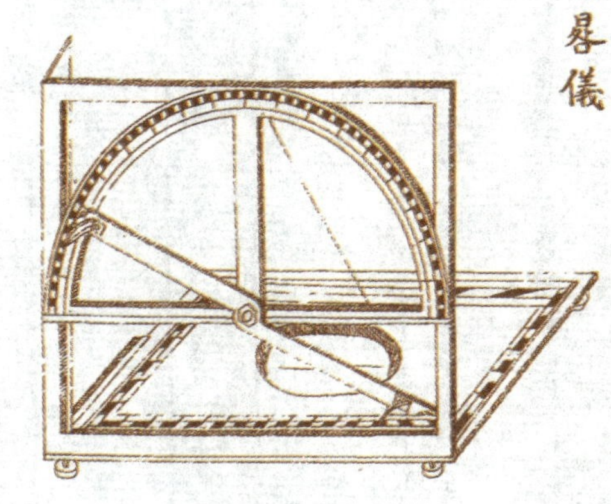

御製地平半圓日晷儀

太廟正殿犧尊

四庫全書寫本
救濟

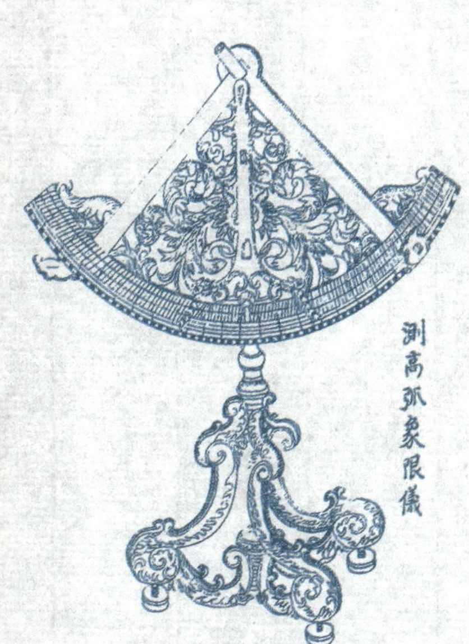

測高弧象限儀

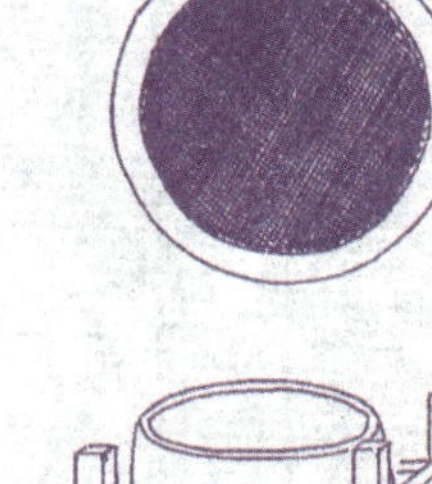

有隔眼紅銅祿蓋

口徑二尺七分
高四寸五分

大祭造所供清酒
有臍眼缸連架

缸口徑二尺五分高三尺一寸
架方三尺三寸高四尺八寸

四庫全書

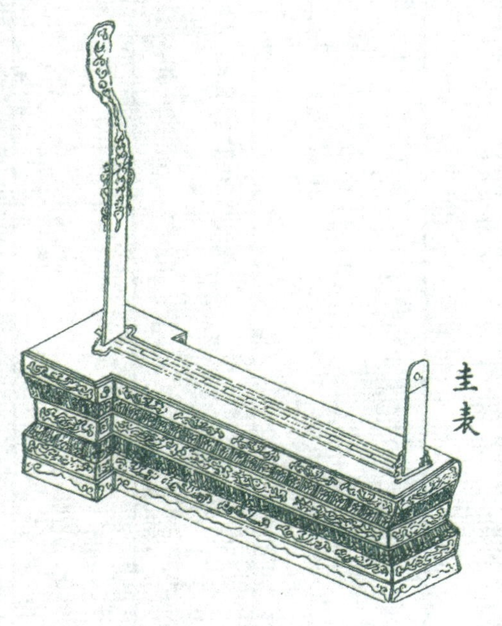

圭表

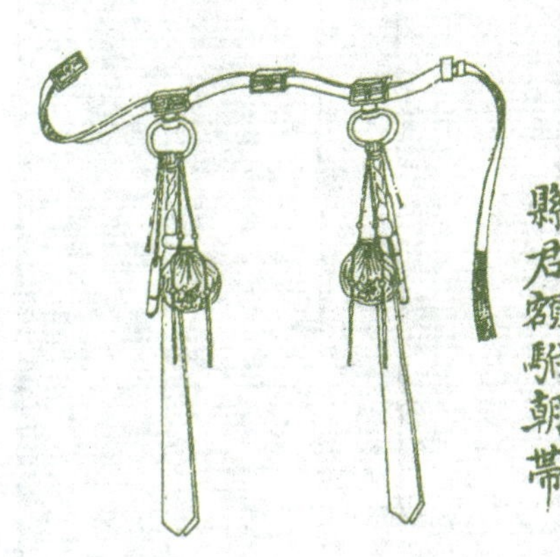

縣君領約朝帶

四庫全書

皇帝大駕鹵簿金節

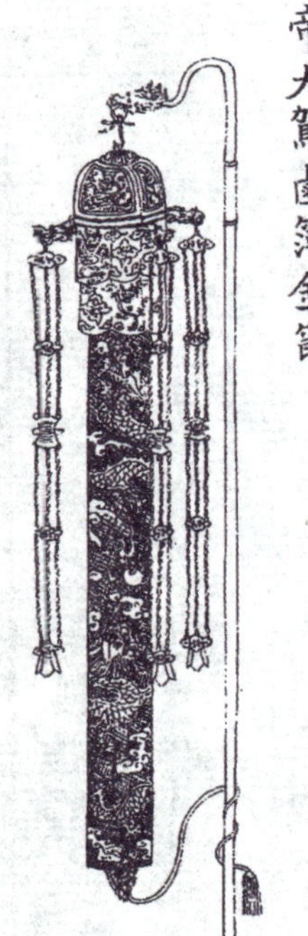

朝會丹陛大樂管

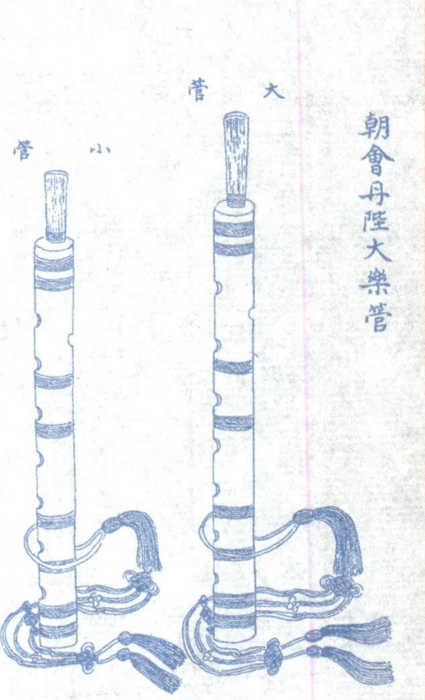

大管　小管

四庫全書寫本　天　次編

一〇

皇帝大駕鹵簿天馬旗

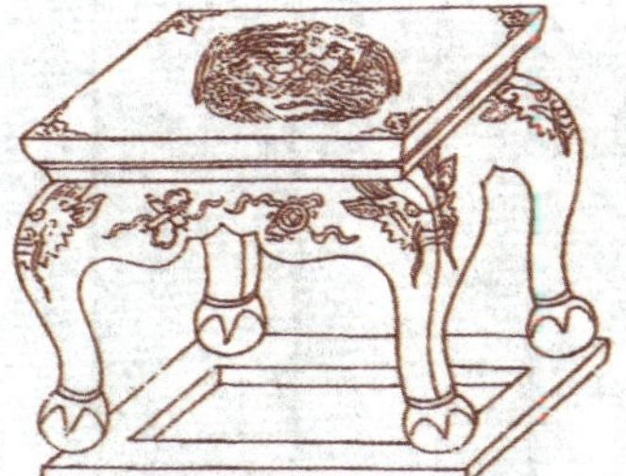

皇后儀駕馬杌

四庫全書薈要

妃采仗翟輿

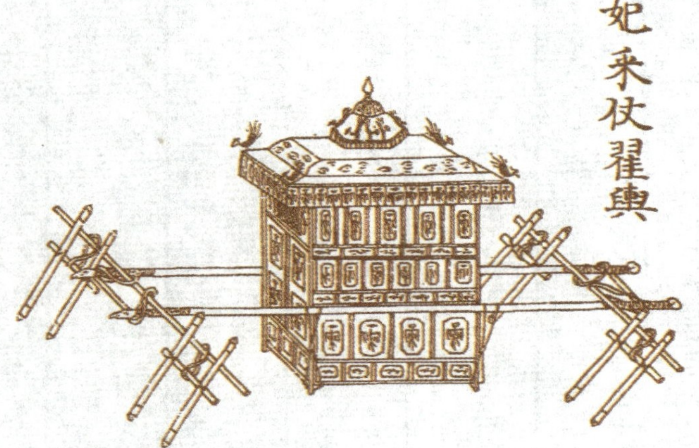

皇貴妃儀仗盥盆

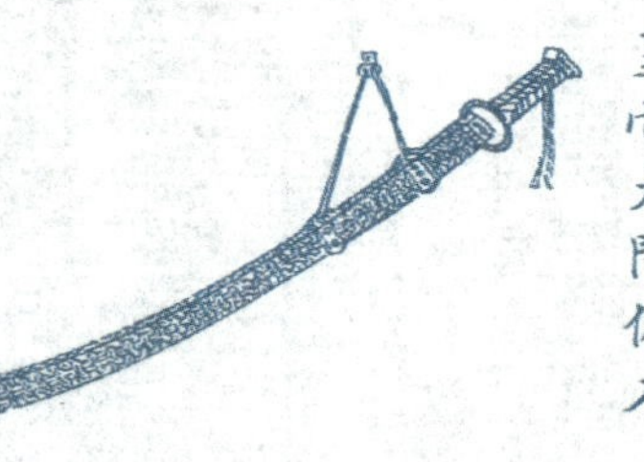

皇帝大閱佩刀

一三

綠營虎頭牌

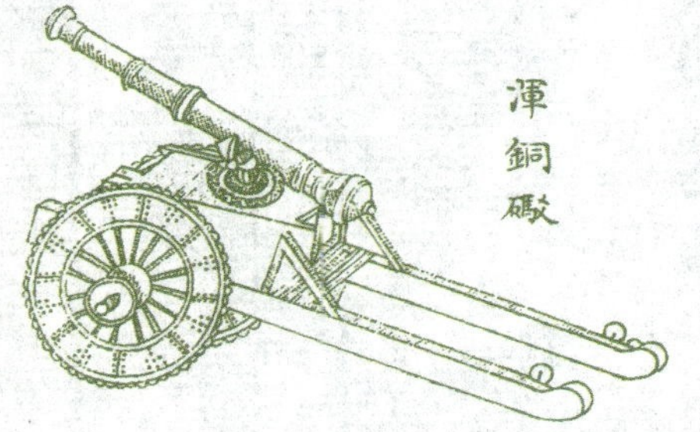

渾銅礮

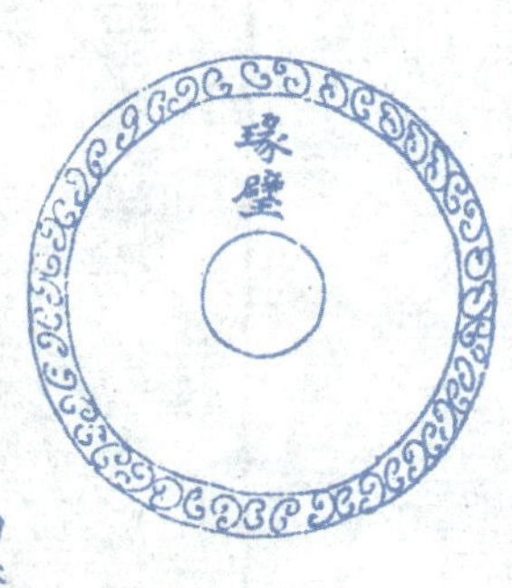

四玉文飾
無考姑倣
古琢圖之

四庫全書

子部

四

都勻黎平等處獋獷苗

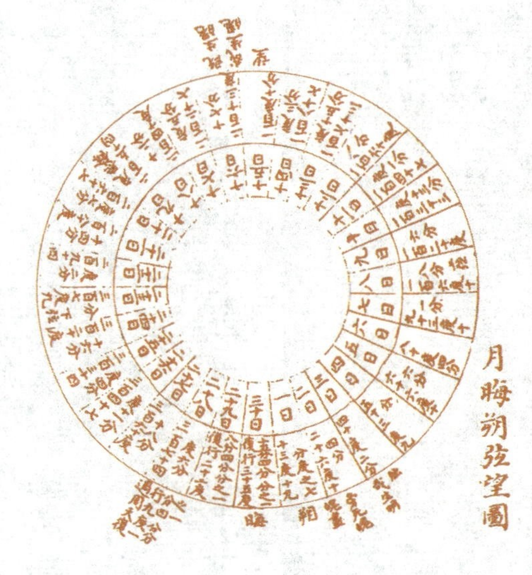

四庫全書寫本
史部

四庫全書記事

史部

一六

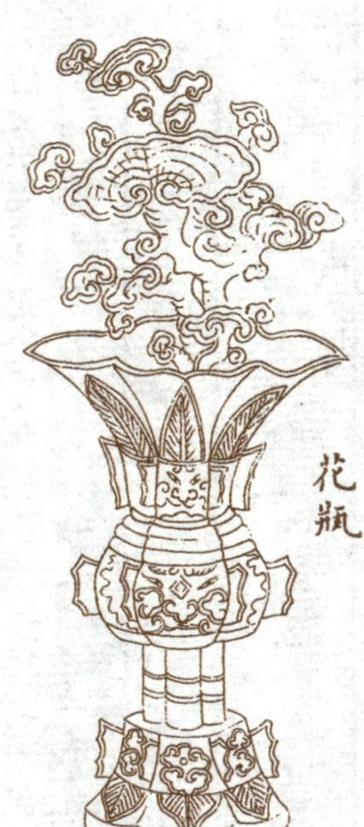

四庫全書總目

史部

罍

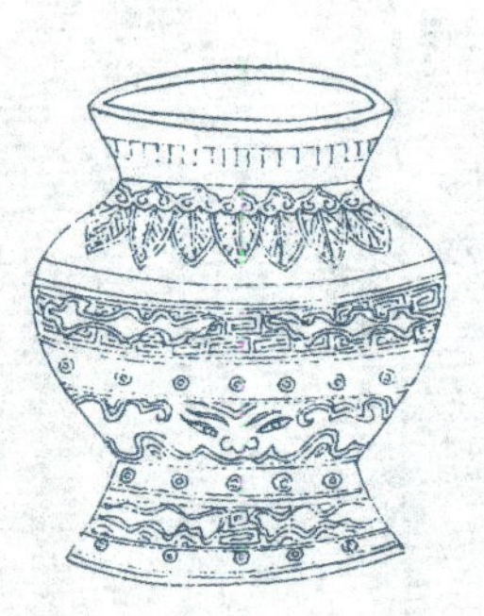

洗

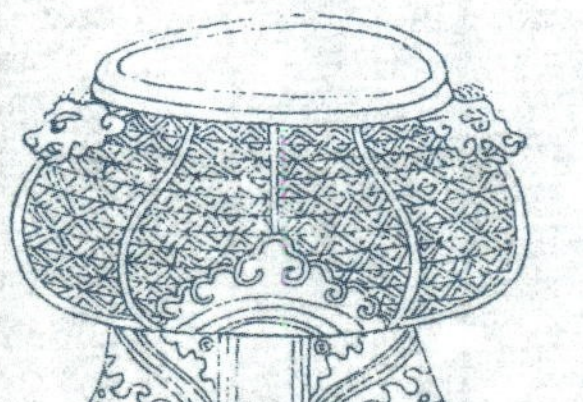

象尊

四庫全書

史部

一

拜席

麾旛

四庫全書薈要

篪
鳳簫

四庫全書臨畫

四庫全書記事

史部

二〇

四庫全書寫本

四庫全書記事

史部

二一

四庫全書薈要

雙峯寺

雪石山
雪石坞

四庫全書

史部

四庫全書記事
史部
二三

四庫全書薈要　卷

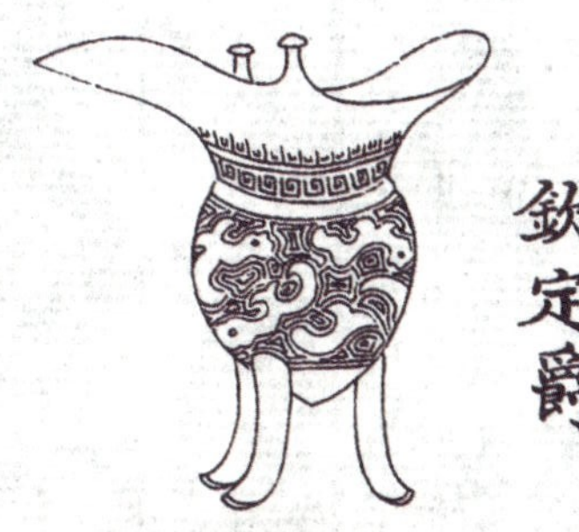

欽定爵

欽定四庫全書

簫

二五

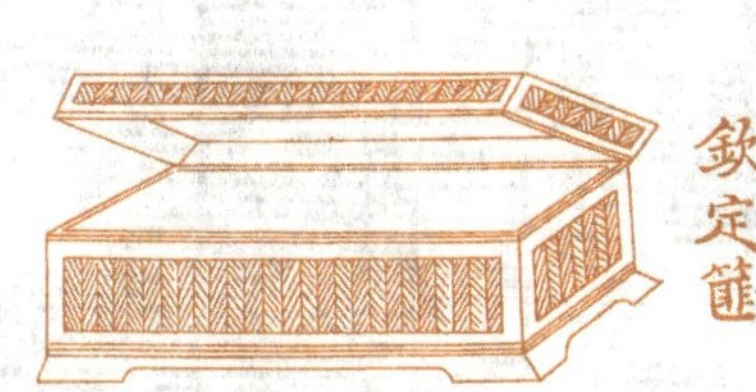

欽定篚

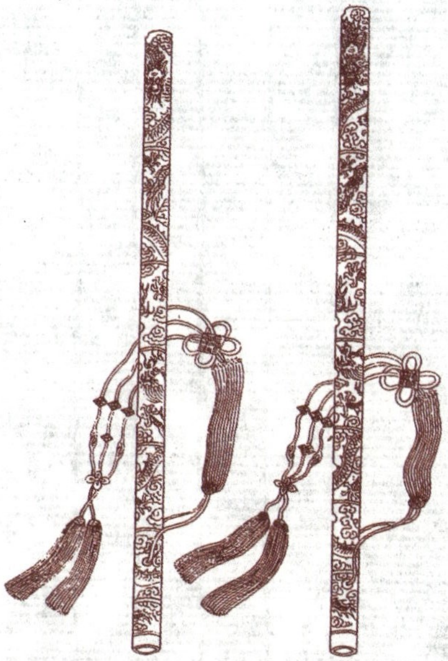

四庫全書

四庫全書記事

史部

二六

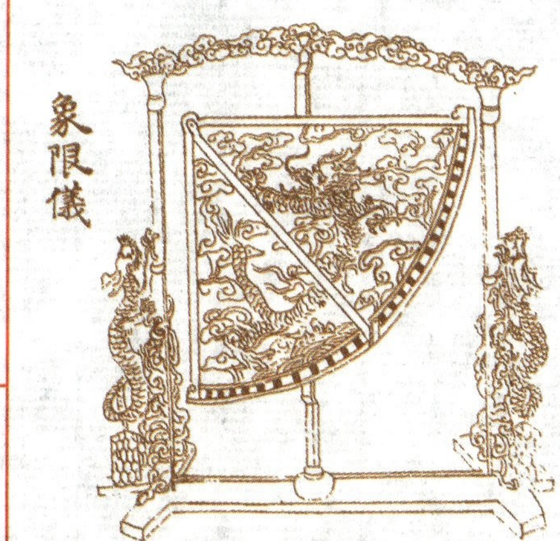

象限儀

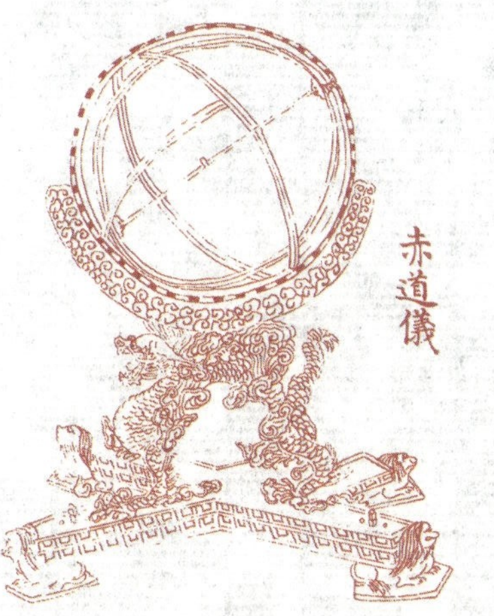

赤道儀

二七

象尊

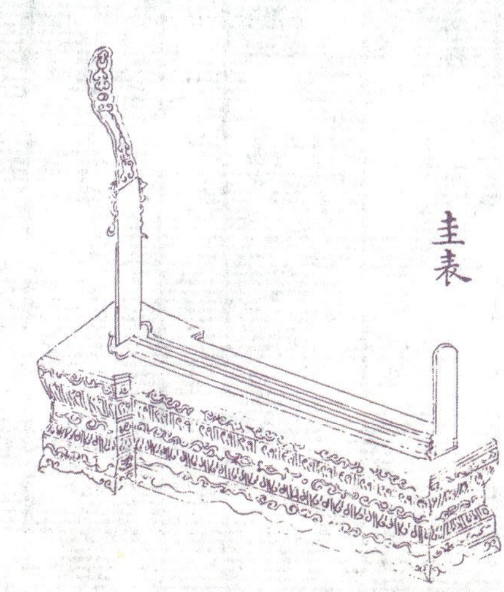

圭表

四庫全書薈要

舟

鹿中

兕中

四庫全書

史部

珮

方相

四庫全書

四庫全書記事

史部

三〇

束帶

褘衣

皇后
九龍四鳳冠

四庫全書

三三

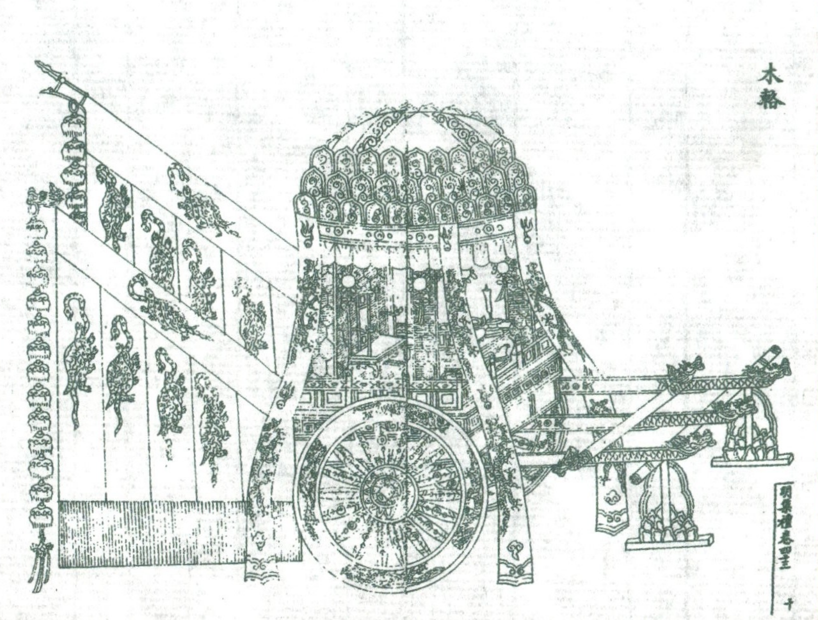

四庫全書薈要

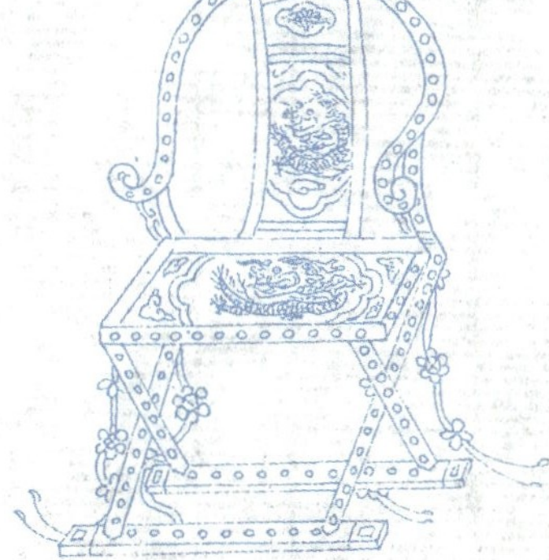

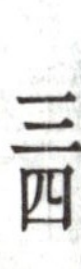

鏞

四庫全書記事

史部

三五

西六於清東

側身向外垂手舞後拱

側身向外垂手舞後拱

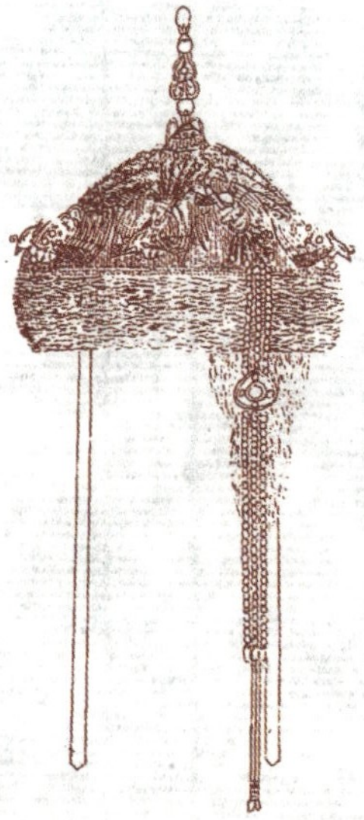

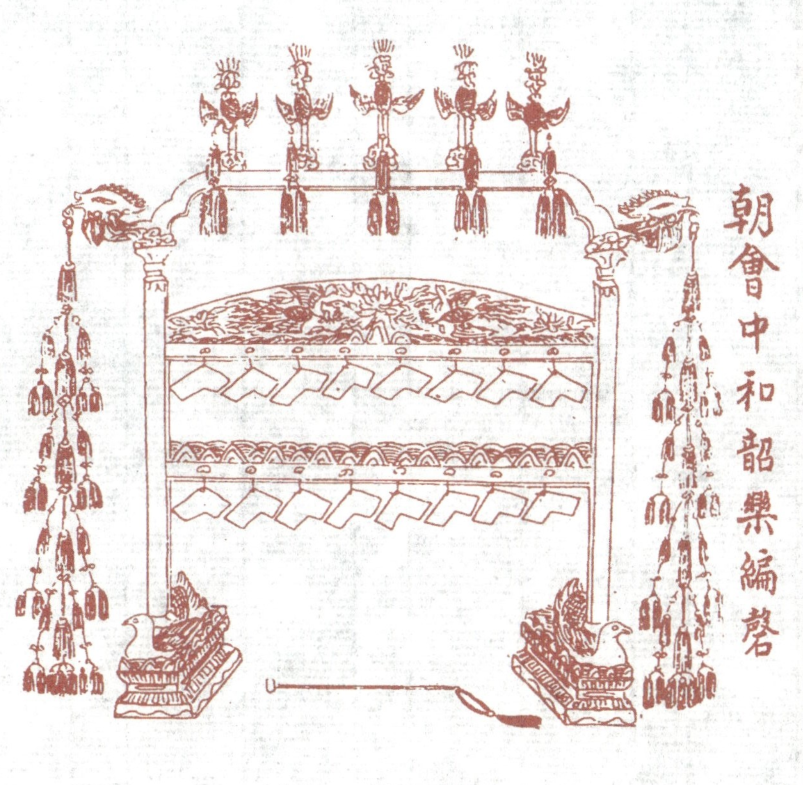

朝會中和韶樂編磬

耕耤禾詞樂鼓

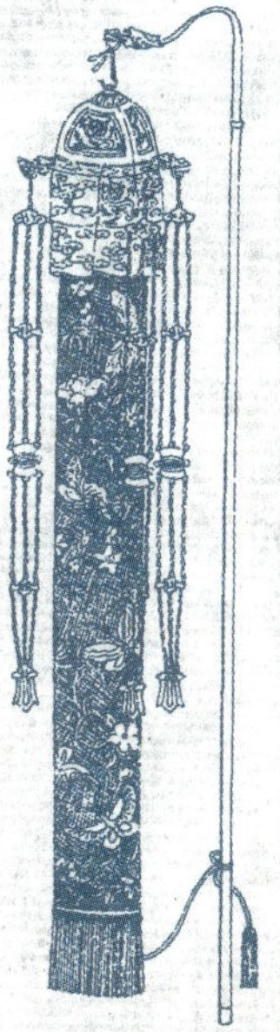

皇帝大駕鹵簿紫幢

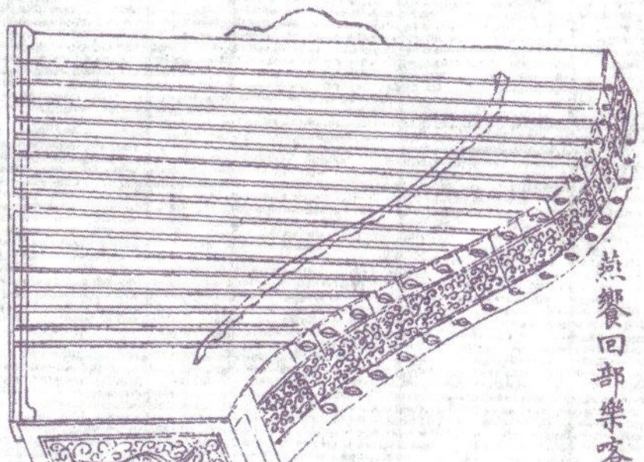

熱饗回部樂器爾奈

四庫全書總目

史部

皇太后儀駕九鳳曲蓋

皇帝大駕鹵簿寶象

四庫全書總目

史部

二八

四庫全書記事

三九

皇貴妃儀仗交椅

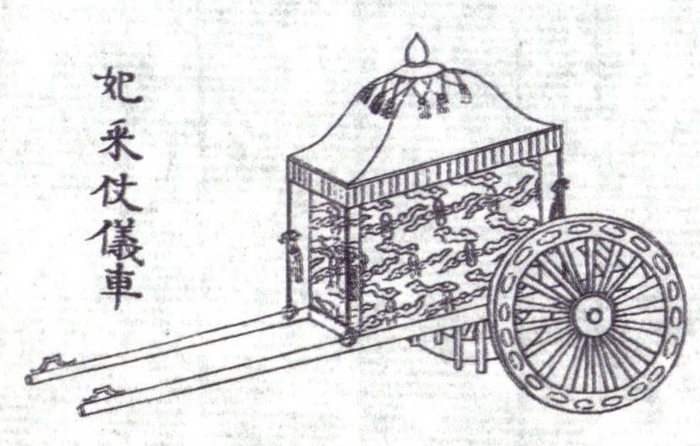

妃采仗儀車

四庫全書

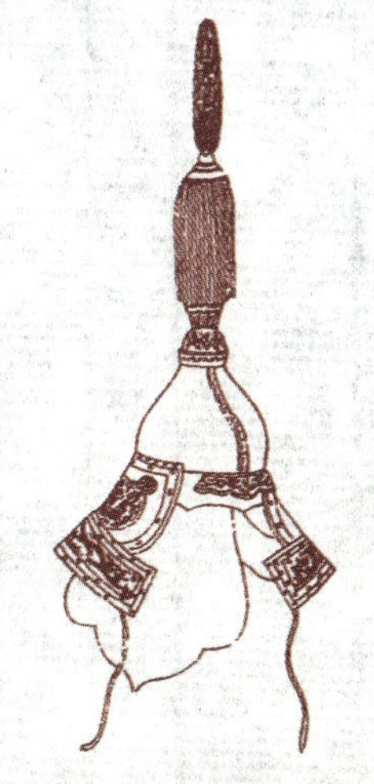

王府長史胄

職官甲三

四庫全書總目

四庫全書記事
史部
四一
武科刀
職官二等橐鞬

四庫全書

四庫全書記事

史部

四二

皇帝御用大準鎗

四庫全書薈要

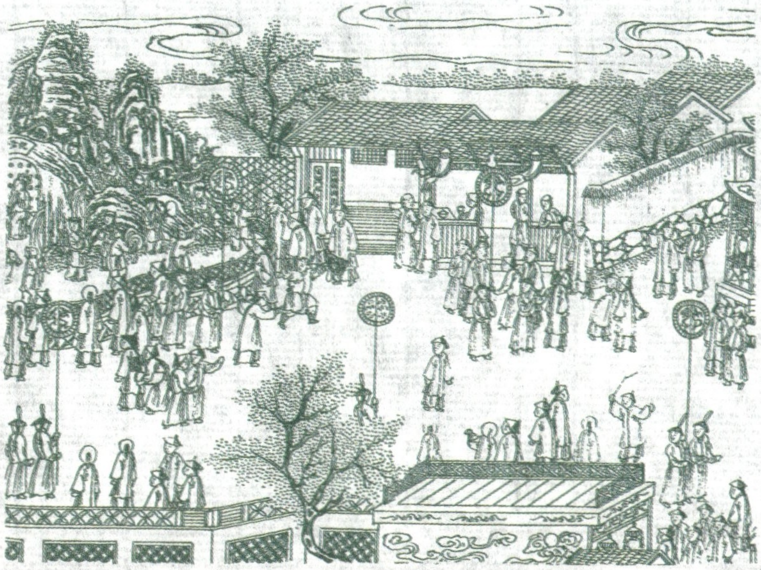

階基疊澀坐角柱

八旬萬壽盛典

卷七十八

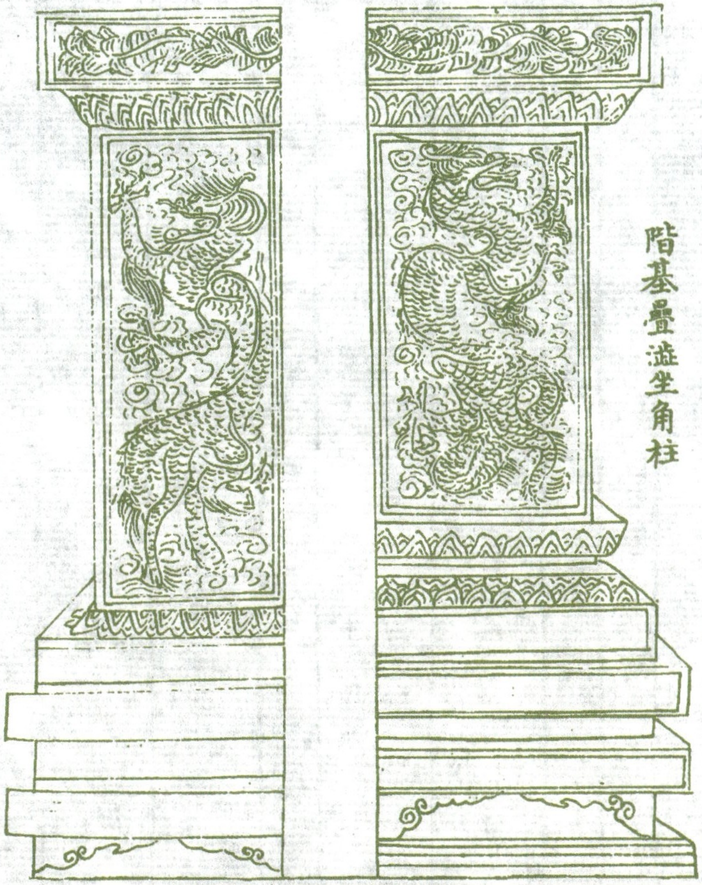

八十三

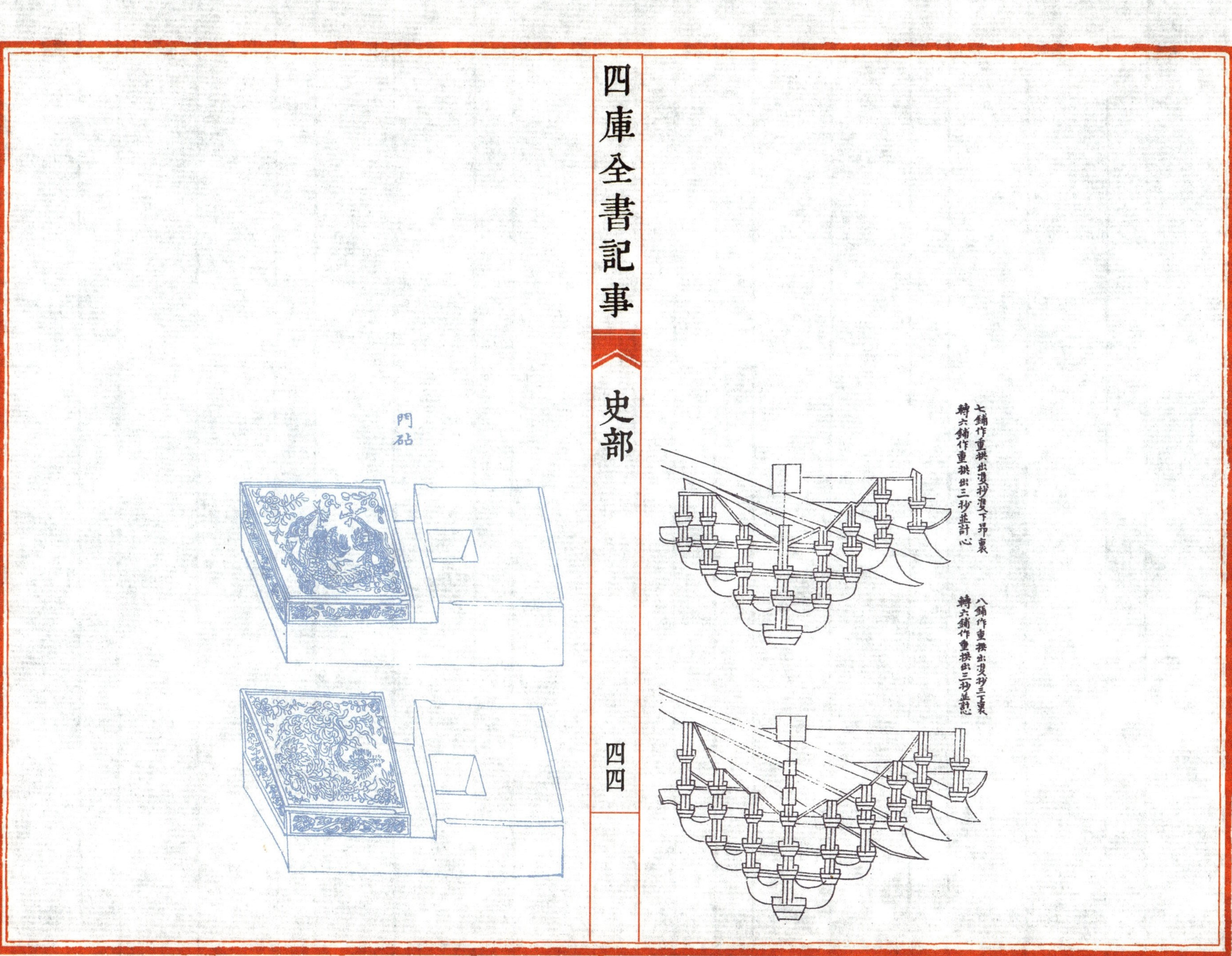
門砧
七鋪作重栱出雙抄雙下昂裏
轉六鋪作重栱出三抄並計心
八鋪作重栱出雙抄雙下昂裏
轉六鋪作重栱出三抄並計心

四庫全書

十架椽屋前後並乳栿用六柱

殿閣亭榭等轉角正樣六鋪作
重栱出單抄兩下昂逐跳計心

殿閣亭榭等轉角正樣七鋪作
重栱出雙抄兩下昂逐跳計心

四庫全書

攬子

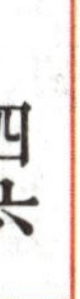

閣檻鈎窗

四庫全書總目

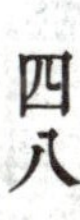

妃采仗提鑪

四庫全書薈要

已來

事耳非好學深思心知其意固難為淺見寡聞道也余

并論次擇其言尤雅者故著為本紀書首

正義　壞古文并諸太史公子百家論次擇其言語典雅者故

五帝本紀在史記百三十篇書之首

索隱

述贊曰帝出少典居于軒丘既代炎歷遂禽蚩尤高陽嗣位靜深有謀小大遠近莫不懷柔爰洎帝摯列聖同休雲鬰東作昧谷西疇明颺側陋玄德升聞能讓天下賢哉二君

帝摯之弟其號放勲就之如日望之如雲

右述贊之體深所不安何者夫叙事美功合有首末懲惡勸善眎觀太史公贊論之中或國有數君或士庶百行不能備論終始自可略申梗概遂乃頎取一事偏引一奇即為一篇之贊將為龜鏡誠所

不取斯亦明月之珠不能無纇笑今並重為一百三十篇之贊云